Haus ohne Hoffnung

Felix & Theo

Langenscheidt

Berlin · München · Wien · Zürich · New York

Leichte Lektüren
Deutsch als Fremdsprache in drei Stufen
Haus ohne Hoffnung *Stufe 3*

Dieses Werk folgt der reformierten Rechtschreibung
entsprechend den amtlichen Richtlinien.

Druck: Mercedes-Druck, Berlin
Printed in Germany

ISBN 978-3-468-49689-9

11. 12. 13. 14. 15. • 11 10 09 08 07

„Alle Menschen sind Ausländer – **fast** überall!“

Die Hauptpersonen dieser Geschichte sind:

Helmut Müller, Privatdetektiv, muss dieses Mal in die Provinz reisen, um einem alten Freund zu helfen.
Gernot Haube arbeitet in seiner Freizeit in der Kirchengemeinde der Stadt und kümmert sich um Asylsuchende.
Ahmad Samadi ist ein Asylbewerber und steht unter Mordverdacht.
Thorsten Brade, **Klaus Biederstett** und **Jürgen Uhde** sind Mitglieder einer Gruppe von Skinheads.
Karin Frisch arbeitet als Betreuerin im Asylbewerberheim der Stadt und hat Angst vor Anschlägen auf die Bewohner.
Friedrichshausen ist eine kleine Provinzstadt im Norden Frankfurts. Alles ist ruhig und normal, bis ...

? towards growing?

1

„Es ist kalt. Maria und Josef gehen durch die Nacht. Maria zieht ihren Mantel fest um die Schultern. Josef führt den Esel zu einem Haus. Er klopft. Niemand öffnet. Er klopft noch einmal. Endlich öffnet sich ein Fenster. Josef fragt, ob die Leute für seine Frau ein Zimmer haben. Maria erwartet ein Kind. Doch sie werden abgewiesen. Traurig ziehen sie weiter ..."

„Gernot! Gernot, Telefon für dich!"

„Gleich, Kinder, gleich lese ich weiter. Ich geh nur schnell ans Telefon." Gernot Haube legt das Buch zur Seite und geht ans Telefon. Seit drei Jahren leben die Haubes – Gernot, seine Frau Ingrid, die Kinder Paul und Anna – in Friedrichshausen, einer kleinen Provinzstadt nördlich von Frankfurt. Die Miete in der Großstadt wurde zu teuer und für die Kinder ist es sowieso besser, in einer kleinen Stadt aufzuwachsen, meint Gernot.

„Hallo? Hier Haube!"

„Gernot, bist du es?", fragt jemand mit leiser Stimme. „Hier ist Ahmad ..."

„Ahmad, wo bist du?"
„Ich kann es nicht sagen, Gernot. Die Polizei sucht mich. Ich war es nicht! Du musst mir glauben, Gernot, ich war es nicht!"
„Ich glaube dir ja, Ahmad. Aber du musst zur Polizei gehen. Sie werden dir auch glauben. Wenn du dich versteckst, denken alle, du bist schuldig ... Ahmad! ... Ahmad ..."
Nichts. Ahmad hat den Hörer aufgelegt.
„Mist! So ein Mist. Das war Ahmad. Er hat sich versteckt. Die Polizei sucht ihn." Gernot erklärt seiner Frau den Anruf.
„Und? Was willst du tun? Wenn er sich versteckt, glauben alle, er hat es getan ..."
„Ja, das habe ich ihm auch gesagt", antwortet Haube und wählt eine Nummer.
„Hallo Karin, hier ist Gernot. Ist bei euch alles ruhig? Gut ... Ja, Ja, ich komme morgen früh. Tschüs, Karin."
Haube legt den Hörer auf und sagt zu seiner Frau:
„Beim Wohnheim ist alles ruhig. Ich lese jetzt den Kindern die Weihnachtsgeschichte weiter vor ..."

2

In der Nacht ist Schnee gefallen. Es ist halb acht Uhr morgens. Haube geht zum Briefkasten und holt die Zeitung, das ‚Friedrichshausener Tageblatt'. Gleich auf der ersten Seite steht in großen Buchstaben:

Wo ist der Mörder von Klaus?

Besorgt geht er ins Haus und zeigt seiner Frau die Zeitung. Gemeinsam lesen sie den Artikel.

Fr. eig. Ber. Nachdem gestern der junge Klaus Biederstett (17) tot am Asylantenheim unserer Stadt aufgefunden wurde – das Friedrichshausener Tageblatt berichtete – gibt es jetzt eine erste Spur. Wie aus Kreisen der Polizei zu erfahren war, ist der achtzehnjährige Ahmad Samadi, der schon sechs Monate im Heim wohnt, seit gestern Nacht verschwunden.

„Ingrid, ich fürchte, das gibt Ärger. Ich nehme den Wagen und fahre gleich zum Wohnheim. Wenn die Zeitungen weiter so schreiben, wird es nur noch schlimmer." Gernot packt sich noch einige Scheiben Brot ein und gießt sich Kaffee in eine Thermoskanne. Dann fährt er los.

Eine halbe Stunde später erreicht er das Asylbewerberwohnheim. Die Straße ist abgesperrt und ein Polizist kommt ans Fenster seines alten Volkswagens.
„Hier können Sie nicht hin."
„Doch, ich muss ins Heim. Mein Name ist Haube. Ich bin von der Kirchengemeinde. Wir betreuen das Heim."
„So, so, Sie betreuen das Heim. Sie betreuen eine Mörderbande!" Feindselig stellt sich der Polizist vor das Auto.
„Seien Sie nicht so voreilig mit Ihrem Urteil, Herr Wachtmeister. Lassen Sie mich jetzt durch!" Ärgerlich fährt Haube an dem Polizisten vorbei zum Heim. Dort steht schweigend eine Gruppe Menschen, Mitglieder der Kirchengemeinde, viele junge Leute, Menschen, die sich um die Asylsuchenden kümmern. Das Heim ist eine alte Villa, etwas abseits von Friedrichshausen. Die Stadtverwaltung hat dort vierzig Asylbewerber untergebracht, Frauen, Männer und Kinder.

„Guten Morgen, Gernot." Eine Frau begrüßt Haube. „Heute Nacht hat es wieder einen Anschlag gegeben. Schau, dort auf der Westseite." Gemeinsam gehen Haube und Karin Frisch um die Villa. Im ersten Stock sieht er zerbrochene Scheiben. An die Mauer darunter ist mit schwarzer Farbe geschrieben:

Deutschland den Deutschen

Deutschland

„Wahrscheinlich wieder die verhetzten Skinheads", meint Haube wütend und geht zurück zum Eingang. Im Foyer steht ein Tisch. Dahinter sitzen zwei Polizisten mit einem Dolmetscher. Die Heimbewohner werden verhört ...
„Glauben Sie im Ernst, Herr Inspektor, dass jemand aus dem Heim den Mord begangen hat?", Haube stellt sich ärgerlich an den Tisch.
„Ich mache hier meine Arbeit, Herr Haube. Und zwar so, wie ich es für richtig halte. Erstens ist die Leiche von Klaus Biederstett keine 100 Meter von der Villa entfernt gefunden worden und zweitens befrage ich die Leute nach dem Ahmad Dingsbums ..." Der Inspektor zieht an seiner Zigarette und wendet sich wieder dem Dolmetscher zu.

„Ahmad Samadi heißt der Mann", korrigiert Haube den Inspektor. „Und die Presse hat ihn ja schon verurteilt. Ich frage mich nur, woher die Zeitung die Informationen hat. Das ist wohl Ihr Werk ..."
„Mischen Sie sich nicht in unsere Angelegenheiten, Herr Haube. Warum versteckt sich denn dieser Ahmad? Wenn er unschuldig ist, braucht er sich ja nicht zu verstecken, oder? Und jetzt lassen Sie mich bitte in Ruhe arbeiten!"
„Ach, was ..." Haube dreht sich um und geht weg. „Karin, ich muss mal telefonieren. Ich glaube, so kommen wir nicht mehr weiter." Er blättert in seinem Notizbuch und wählt eine Nummer.
„Detektivbüro Müller, Bea Braun am Apparat ..."

3

„Guten Morgen, Chef! Heute kommen Sie aber spät. Die Weihnachtsfeier gestern hat wohl etwas länger gedauert ...?“ Bea Braun begrüßt den Detektiv, der mit müdem Gesicht das Büro betritt.
„Ihr alter Freund Gernot Haube aus Friedrichshausen hat vor einer Stunde angerufen. Ich habe alles notiert und schon mal ein bisschen telefoniert, um mehr Informationen zu bekommen. Es geht um einen Mord ...“

„Moment, Bea, einen Moment bitte. Langsam, langsam. Ich brauche erst mal einen Kaffee, und dann setzen wir uns in Ruhe hin und Sie erzählen mir, was los ist. Ich habe heute nicht gut und auch nicht viel geschlafen, also erst mal einen Kaffee. Diese Weihnachtsfeier war wirklich sehr anstrengend ... und dann gleich zur Begrüßung einen Mord! Also wirklich, Bea!“

Müller gießt sich eine Tasse Kaffee ein und setzt sich an den Besprechungstisch in seinem Büro.
Bea Braun holt ihre Notizen und erzählt:
„Also, Gernot Haube aus Friedrichshausen hat angerufen. Er sagt, dass er Ihre Hilfe braucht. In der Nähe eines Wohnheims für Asylbewerber wurde ein Junge tot aufgefunden. Die Zeitungen schreiben, dass der Mörder ein irakischer Asylbewerber ist. Der ermordete Junge gehörte zu einer Gruppe von Skinheads, die verschiedene Anschläge auf das Heim gemacht haben. Die Bürger von Friedrichshausen sind alle ziemlich aufgebracht und die Polizei sucht jetzt diesen Iraker. Am Freitag ist die Beerdigung des Jungen und Haube glaubt, dass die Skinheads weitere Anschläge auf das Heim machen werden, wenn nicht bald der Mörder gefunden wird. Der Iraker heißt Ahmad Samadi und ist unschuldig, sagt Gernot. Aber dieser Ahmad ist verschwunden. Keiner weiß, wo er ist."
„Hm. Und was soll ich tun?", fragt Müller.
„Ich dachte, Sie fahren mal nach Friedrichshausen. Ich habe schon bei der Auskunft der Bundesbahn angerufen. Der nächste Zug geht um 12 Uhr 28 ab Bahnhof Zoo. Umsteigen in Kassel. Ankunft Friedrichshausen 21 Uhr."

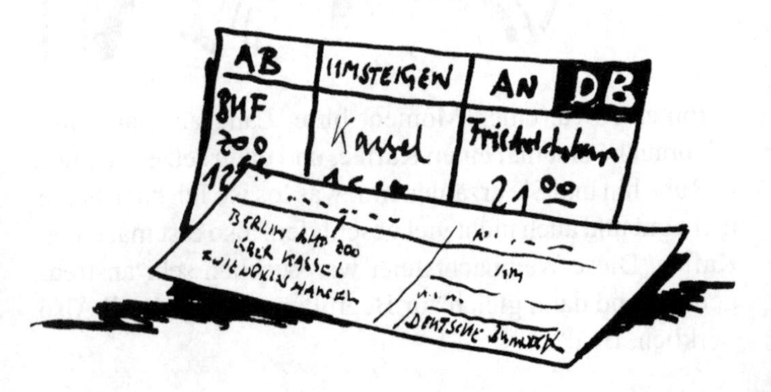

4

Zur gleichen Zeit, als Privatdetektiv Müller die Informationen von Bea Braun notiert und seinen Morgenkaffee trinkt, steht Gernot Haube mit einer Gruppe von Helfern vor dem Wohnheim. Etwa fünfzig Meter vom Heim entfernt steht eine Gruppe von Jugendlichen. Sie rufen:
„Asylanten raus! Mörder! Mörder!“
Etwas abseits steht ein Polizeiauto und zwei Beamte beobachten das Geschehen. Auch einige Leute aus Friedrichshausen schauen zu.
„Vorsicht!“, ruft Gernot Haube, und im gleichen Moment fliegt eine Bierflasche gegen die Mauer des Heims. Sie zerbricht in viele Scherben.
„Schau, schau, Thorsten Brade, der Sohn des Bürgermeisters“, sagt Haube und deutet auf einen Jugendlichen. Der hat ganz kurz geschnittene Haare, eine schwarze Bomberjacke und schwarze Stiefel. Er ist ziemlich betrunken und schreit am lautesten.
„Wenn das mein Sohn wäre ...“ Karin Frisch ballt die Fäuste.
„Aufgehetzt, einfach aufgehetzt“, sagt Gernot verbittert.
„Die sagen und machen nur, was die schweigende Mehrheit denkt. Sie wollen, dass die Asylsuchenden verschwinden. Das ist es doch, was die meisten wollen. Die Angst vor Fremden, vor dem Anderssein. Das ist doch der Grund für diesen Rassismus und den Fremdenhass. Es ist überall das Gleiche. Minderheiten werden immer gehasst“, Gernots Stimme klingt traurig.
Karin Frisch protestiert: „Aber Gernot, erstens werden sie nicht überall gehasst und zweitens nicht von allen. Deshalb sind wir doch hier. Und wir sind auch nicht allein ...“

5

Kurz nach 21 Uhr kommt Müller in Friedrichshausen an. Der Taxifahrer blickt erstaunt in den Rückspiegel, als der Detektiv als Fahrziel das Asylheim angibt. Müller schaut aus dem Fenster. Friedrichshausen. Eine typische deutsche Kleinstadt. Alter Bahnhof, Anfang des Jahrhunderts. Im Zentrum ein großes Backsteingebäude, das Rathaus. Moderne Betonkaufhäuser, Geschäfte, Fußgängerzone. Weiter, Richtung Stadtrand, Wohnblöcke, dann Einfamilienhäuser, eines neben dem anderen, alle gleich.
Das Taxi biegt von der Hauptstraße ab in einen Kiesweg. Brauner Schneematsch liegt am Straßenrand.
„Hier komme ich nicht weiter“, sagt der Taxifahrer und deutet auf die parkenden Autos.
„Und wo ist das Heim?“, fragt Müller.
„Gleich da vorne, wo die Leute sind“, antwortet der Fahrer.
Müller bezahlt, nimmt seine kleine Reisetasche und geht auf die Villa zu. Viele Schaulustige stehen herum. Jugendliche mit kahl geschorenen Köpfen, aber auch ältere Bürger rufen ausländerfeindliche Parolen. Müller ist schockiert. ‚Alte und junge Nazis glücklich vereint‘, denkt er. Als er durch die Gruppe will, um zum Haus zu kommen, stößt ihn ein Jugendlicher mit schwarzer Bomberjacke an.
„Hey, willst wohl zu den Asylantenschweinen? Bist wohl auch so ein Volksverräter?“ Die Gruppe schaut ihn feindselig an. Müller sagt nichts und geht zum Haus.

6

„Mensch, Helmut! Danke, dass du gekommen bist." Haube begrüßt seinen alten Freund. Sie gehen zusammen ins Büro des Heims. Im Flur steht eine Gruppe von Männern. „Die meisten hier im Heim sind aus dem Irak", erklärt Gernot. „Die Leute haben Angst. Die Stimmung in der Stadt wird immer schlimmer. Alle haben Angst vor einem neuen Anschlag. Und morgen ist die Beerdigung von dem Jungen."
„Und was ist mit Samadi? Ist er wieder aufgetaucht?"
„Nein. Ich weiß auch nicht, wo der steckt." Haube ist resigniert. „Wenn ihn die Glatzen erwischen, bringen sie ihn um."
„Du meinst diese Skinheads?" Müller deutet aus dem Fenster.
„Ja. In einer Stunde fahren wir nach Hause. Dann kommt die Nachtschicht. Wir bewachen das Heim jetzt rund um die Uhr. Gott sei Dank gibt es in dieser Stadt nicht nur rechtsradikale Jugendliche und alte Nazis. Wir haben viele Freiwillige, die uns helfen und sich um die Asylbewerber kümmern."

7

„Kaffee oder Tee?", ruft Ingrid Haube aus der Küche.
Müller sitzt am Frühstückstisch. „Am liebsten Kaffee!"
Gernot Haube kommt ins Esszimmer und liest die Titelseite des ‚Friedrichshausener Tageblatts'. „Schau, die heutige Schlagzeile: ‚Der Mörder ist immer noch frei!' Das ist Journalismus von der schlimmsten Art."
„Zeig mal", sagt Müller und greift nach der Zeitung. Da fällt ein kleiner Zettel heraus, der zwischen den Seiten gesteckt hat.
„Was ist das? Ein Brief für dich, Gernot."

„Nicht möglich, die Post kommt immer erst gegen 11 Uhr. Lass mal sehen!“

Mit ausgeschnittenen Buchstaben ist der Satz auf den Zettel geklebt.
„Sehr merkwürdig!“, rätselt Haube.
„Aber eine gute Nachricht, meinst du nicht?“ Müller betrachtet die anonyme Botschaft. „Immerhin heißt das, dass wir einen unbekannten Freund auf der anderen Seite haben. Einen, der etwas weiß, aber wohl ziemlich viel Angst hat.“
„Schon, aber das hilft uns auch nicht viel.“ Haube betrachtet noch einmal den Zettel.
„Wer ist eigentlich dieser Ahmad Samadi?“, unterbricht Müller das Schweigen.

„Der Junge ist in Ordnung. Er hat garantiert nichts mit dem Mord zu tun. Er lebt seit etwa einem halben Jahr hier. Er hat mir oft als Dolmetscher geholfen. Er spricht ziemlich gut Deutsch und hat auch schnell Freunde in der Stadt gefunden. Ich habe keine Ahnung, warum er verschwunden ist."
„Und wie alt ist er?"
„Ahmad, ja, so etwa 18 Jahre."
„Und der tote Junge?"
„Klaus Biederstett ist, äh, war etwa im gleichen Alter."
„Glaubst du, die beiden haben sich gekannt?"
„Tja, darüber habe ich auch schon nachgedacht. Schon möglich. Wie gesagt, Ahmad hatte Freunde in der Stadt. Vielleicht kannten sie sich vom Jugendzentrum oder aus der Disko."
„Und den Klaus Biederstett, kanntest du den auch?"
„Nein, nicht persönlich. Die Leute von der Kirchengemeinde haben ihn als ziemlich schüchtern beschrieben. Er ist immer mit den Skinheads mitgelaufen."
„Mit den Skinheads? Vielleicht liegt da ein Motiv."
Haube schaut den Detektiv skeptisch an. „Glaubst du etwa auch, der Ahmad ...?"
„Quatsch, Gernot, ich denke nur laut. Recherchieren heißt, alle Möglichkeiten in Betracht ziehen ..."

8

Eine Stunde später stehen die beiden Freunde auf dem Friedhof. Sehr viele Bewohner von Friedrichshausen haben sich versammelt. Die Familie von Klaus Biederstett steht um das Grab. Der Stadtrat ist fast vollzählig vertreten. Freunde, Mitschüler, Schaulustige. Eine Gruppe schwarz gekleideter Jugendlicher steht militärisch korrekt auf der

Hier
Beat
*1907

anderen Seite. Nach ein paar kurzen Reden wird der Sarg ins Grab gesenkt.
Plötzlich tritt ein großer, schlanker Jugendlicher aus der Gruppe vor das Grab und will eine Ansprache halten. Der Pfarrer drängt ihn zur Seite und wirft mit einer kleinen Schaufel Erde ins Grab. Er spricht ein paar Worte, die Müller nicht verstehen kann. Dann gibt er die Schaufel weiter und drückt den Mitgliedern der Familie die Hände. Die Umstehenden bilden eine Schlange und wiederholen das Ritual des Pfarrers. Der Anführer der Skinheads steht mit finsterer Miene daneben.
„Das ist Thorsten Brade, der Sohn des Bürgermeisters. So etwas wie der Chef der Bande“, flüstert Haube.
„Thorsten und der Kindergarten“, bemerkt Müller.
„Wie meinst du das?“
„Der Rest der Gruppe oder Bande, wie du sagst, das sind doch noch halbe Kinder. Schau dir doch die Gesichter an!“
„Ja, aber aufgehetzte Kinder“, stellt Haube fest.

Die Zeremonie ist zu Ende und die meisten Leute haben den Friedhof verlassen. Auch die beiden Freunde gehen. Am Ausgang bemerken sie, wie die Gruppe der Skinheads auf einen Jungen einredet. Er ist nicht so gekleidet wie die Gruppenmitglieder. Er trägt eine Winterjacke und Jeans. Nur die kurz geschnittenen Haare passen zu den anderen Jugendlichen. Der Junge wirkt ziemlich ängstlich und unsicher. Müller versteht nur einige Worte: „Los, du Feigling ... du musst aber ... Ruhe ...“

9

„Der Nächste bitte!"
Müller folgt der Sprechstundenhilfe in das Zimmer. Der Arzt, ein freundlicher, älterer Herr im weißen Mantel, kommt auf ihn zu.
„Na, was fehlt uns denn, junger Mann?"
„Guten Tag, Herr Doktor. Mir fehlt eigentlich nichts. Ich bin aus einem anderen Grund gekommen. Mein Name ist Müller. Ich bin Privatdetektiv."
Der Arzt schaut jetzt nicht mehr so freundlich. „Und was kann ich für Sie tun?"
„Sie haben doch die Leiche von Klaus Biederstett untersucht?", fragt Müller.
„Ach, deswegen kommen Sie? Mein Bericht liegt bei der Polizei. Ich will nichts mit der Sache zu tun haben. Da müssen Sie schon mit der Polizei ..."
„Entschuldigen Sie", unterbricht ihn Müller, „ich habe nur eine Frage, die Sie mir doch beantworten können." Der Arzt blickt Müller skeptisch an. „Und die ist?"
„Was war eigentlich die Todesursache?"
„Tod durch Erfrieren."
„Wie bitte? Wieso schreibt die Zeitung dann von Mord?", fragt Müller erstaunt.
„Ich habe der Presse gegenüber keine Erklärungen abgegeben. Mich hat niemand dazu gefragt. Der Junge hatte eine Kopfverletzung. Wie von einem Schlag. Eine Platzwunde. Aber diese Verletzung war nicht tödlich. Er muss ohnmächtig die ganze Nacht im Schnee gelegen haben und ist erfroren."
„Wann hat man die Leiche gefunden?" Müller ist immer noch erstaunt.
„Am Montagmorgen."

„Und was kann die Verletzung verursacht haben?"
„Tja, schwer zu sagen. Ein runder Gegenstand oder so. Haben die Eltern von Klaus Sie beauftragt?", fragt der Arzt.
„Nein, ich arbeite für das Asylheim."
Jetzt schaut der Arzt nervös auf seine Uhr. „So, Herr Müller, ich muss mich jetzt um meine Patienten kümmern. Und bitte, lassen Sie meinen Namen aus dem Spiel ..."
„Natürlich, Herr Doktor. Und vielen Dank! Auf Wiedersehen."
Nachdenklich verlässt Müller die Arztpraxis. Er beschließt, dem ‚Friedrichshausener Tageblatt' einen Besuch abzustatten. Doch dort passiert ihm das Gleiche wie bei einem anschließenden Besuch im Jugendzentrum der Stadt: Die Leute sind abweisend, keiner will mit ihm reden.

10

„Guten Abend, Herr Müller!" Karin Frisch begrüßt den Detektiv, als er die Tür zum Wohnheim öffnet. „Gernot ist noch nicht da. Er wollte gegen fünf Uhr hier sein."
„Ja, wir waren hier verabredet. Na gut, ich werde auf ihn warten."
„Trinken Sie auch einen Tee?", fragt ihn Karin Frisch.
„Ja, gern, danke!"

Ein paar Minuten später bringt Frau Frisch ein Tablett mit Tee, Sahne und Zucker.
„Haben Ihre Nachforschungen schon etwas ergeben?“, fragt sie neugierig.
„Na, ja, erst ein paar Mosaiksteinchen. Übrigens, wo wurde die Leiche von Klaus Biederstett gefunden?“
„Drüben im Wald, nicht weit von der Villa.“
„Ich wollte mir die Stelle einmal ansehen. Das kann ich ja tun, bis Gernot kommt.“
„Machen Sie das doch lieber am Tag. Da treiben sich immer die Skinheads rum ...“, bemerkt Karin Frisch vorsichtig.
„Diese Jungen habe ich heute schon auf dem Friedhof gesehen. Die sitzen jetzt alle brav bei Mami und Papi beim Abendessen“, lächelt Müller ironisch.

Ein paar Minuten später steht er vor dem Heim. Die Luft ist kalt. Leichter Schnee fällt. Müller macht seinen Mantel zu und zündet sich eine Zigarette an. Er geht in die Richtung, die Karin Frisch ihm beschrieben hat. Er überquert eine weiße Fläche, ‚wahrscheinlich eine Wiese', denkt er und geht auf ein Waldstück zu, das dahinter beginnt. Es hat nicht viel geschneit in den letzten Tagen. Müller muss nur den Fußspuren folgen und findet schnell die Stelle. Das Einzige, was Müller findet, ist eine leere Filmschachtel. Er tritt seine Zigarette aus und macht sich auf den Rückweg.

Plötzlich knackt ein Zweig und instinktiv versteckt sich der Detektiv hinter einem Baum. Müller erkennt einen Schatten. Die Person schleicht vorsichtig durch den Wald und nähert sich dem Heim. Als sie die Wiese betritt, die zwischen dem Heim und dem Wald liegt, sieht Müller deutlich die Silhouette: Fliegerjacke, Stiefel, kurz geschnittene Haare. ‚Ein Skinhead', denkt Müller. Er sieht, wie die Person eine Plastiktüte gegen den Körper drückt. Ohne weiter zu überlegen, rennt er los. Der Junge hat ihn gehört, wirft die Tüte weg und rennt in den Wald. Müller versucht ihm den Weg abzuschneiden. ‚Mist, diese Schuhe', denkt er noch und fällt der Länge nach in den Schnee.
„Mist, Mist", schimpft er und klopft sich den Schnee von den Kleidern.
In diesem Moment löst sich eine zweite Gestalt aus dem Wald. Blitzschnell holt sie die erste ein und plötzlich liegen beide im Schnee.

11

Auf dem Tisch in Haubes Büro liegen eine Plastiktüte, Zündhölzer und zwei Milchflaschen. Sie sind mit Benzin gefüllt. Aus dem Flaschenhals hängen Stofffetzen.
„Molotowcocktails!" Müller schaut die beiden Flaschen und dann den Jungen an. Ein blasses, zitterndes Wesen sitzt auf dem Stuhl. ‚Der Junge vom Friedhof', denken Müller und Haube gleichzeitig.

MILCH
MILCH

„Wie heißt du?“, fragt Müller.
„Jürgen Uhde“, antwortet der Junge mit weinerlicher Stimme.
„Ein Toter reicht dir wohl nicht!“, schreit Müller plötzlich und schlägt mit der Faust auf den Tisch. Er zwinkert Haube zu und brüllt dann weiter: „Das sind Mordinstrumente und kein Spielzeug!“
Der Junge fängt an zu weinen: „Ich wollte doch gar nicht ... aber Thorsten hat gesagt ... ich hatte solche Angst vor Thorsten und Klaus ... ich wollte doch beweisen, dass ich kein Verräter bin ...“
Haube gießt dem Jungen eine Tasse Tee ein, klopft ihm auf die Schulter und sagt: „Erzähl einfach der Reihe nach!“
Immer noch zitternd vor Angst beginnt der Junge zu erzählen: „ ... Im Fernsehen haben sie von den Anschlägen auf die Asylantenheime berichtet ... und da hat Thorsten gesagt, dass wir das hier in Friedrichshausen auch machen müssen ... Wir wollten die Scheiben vom Büro einschmeißen und einer sollte dann einen Molotowcocktail ... das sollte dann der Klaus Biederstett machen ... Sonntagnacht sind wir dann zum Heim gegangen. Da hat Klaus gesagt, dass er nicht mitmachen will. Sein Freund Ahmad ...“ Der Junge schaut mit Tränen in den Augen auf den jungen Iraker, der neben Haube sitzt.
„... Und dann gab es zwischen Klaus und Thorsten eine Schlägerei. Thorsten war ziemlich betrunken. Er schlug dem Klaus eine Bierflasche auf den Kopf ... Klaus fiel in den Schnee und bewegte sich nicht mehr ... Wir sind dann alle weggelaufen ...“
„Und damit habt ihr ihn umgebracht!“, schreit Müller. Er war nur ohnmächtig und ist dann jämmerlich erfroren!“
„... Und die Polizei ... und die Zeitungen ... Und dann war Ahmad verschwunden. Thorsten hat uns gedroht, wenn wir

nicht alle den Mund halten ... Er hat gesagt, dass der Verdacht auf Ahmad fällt, und wir müssen nur ... wo doch alle über den Mord so empört waren ..."
„Und dann hast du die anonyme Nachricht an Gernot Haube geschickt", unterbricht Müller den Jungen.

Jürgen Uhde hebt erstaunt den Kopf. „Woher wissen Sie, äh, ja, ich wollte aussteigen. Ich wollte nicht mehr mitmachen ... Aber Thorsten hat gesagt, dass es mir dann genauso geht wie Klaus ... Am Friedhof, bei der Beerdigung, hat er gesagt, wenn ich den Anschlag mache, dann kann ich aussteigen ...“

„Um dich schuldig zu machen! Du wärst nur noch tiefer in den Sumpf gerutscht!“ Müller schaut den Jungen streng an. Er lehnt sich in seinem Stuhl zurück, trinkt einen Schluck Tee und wendet sich an den jungen Iraker:

„Etwas verstehe ich noch nicht, Ahmad. Warum bist du nicht zur Polizei gegangen?“

„Ich war mit Klaus im Jugendzentrum. Er war mein Freund. So gegen zehn Uhr musste er weg. Er hat zu mir gesagt, dass er noch eine Verabredung hat. Ich bin dann eine Stunde später nach Hause gegangen. Dann habe ich im Wald die Schlägerei beobachtet. Ich hatte große Angst und bin weggelaufen. Ich habe mich versteckt und heute Abend wollte ich zu Gernot, um mit ihm zur Polizei zu gehen. Den Rest kennen Sie ja ... und außerdem habe ich gedacht, wer glaubt schon einem Ausländer?“

„Ich, zum Beispiel!“, lächelt Müller und greift zum Telefon.

ENDE

Über 20 Anschläge auf Ausländerunterkünfte

Hamburg (dpa). Die Ausländerfeindlichkeit in West- und Ostdeutschl... nimmt immer gewalttätigere Aus... an. An diesem Wochenende wurden ... 20 Anschläge auf Unterkünfte vo... ländern und Asylbewerbern in... drhein-Westfalen, Saarland, Nied... sen, Schleswig-Holstein, Brand... Sachsen und Sachsen-Anhalt verübt.

Terror von rechts

ungebetene Gäste

Asyl-Lager in Pa...

Sozialministerium pla...

46 Illegale zurückgeschickt

Am Freitag im Wolferstetterkelle...

Rock-Konzert gegen Rechts

Asylanten in Kaserne

Platz für rund 1000 Asylsuchende

Übungen und Tests

1. Was wissen Sie schon über die Personen, die bis jetzt vorkommen?

Gernot Haube lebt mit seiner Familie in Friedrichshausen.

Ahmad ________________________________

____

Karin ________________________________

____

2. Was wissen Sie jetzt über Ahmad?

Name?
Kommt aus ...
Wohnt seit ....
Ist seit gestern ...
Ist verdächtig ...

Wie verhalten sich die Polizisten gegenüber Gernot Haube und den Asylbewerbern?

O positiv
O neutral
O negativ

3. und 4. Richtig oder falsch? Bitte kreuzen Sie an:

R	F	
		Ahmad Samadi ist verschwunden.
		Thorsten Brade ist ein Skinhead.
		Gernot Haube wohnt im Asylheim.
		Bea Braun fährt nach Friedrichshausen.

5. Wie ist die Stimmung der Menschen vor dem Asylheim?

O neutral
O aggressiv
O ängstlich
O aufgehetzt
O positiv

Wie ist die Stimmung im Asylheim?

O neutral
O aggressiv
O ängstlich
O aufgehetzt
O positiv

6. Informationen sammeln:
Was wissen Sie jetzt über

Ahmad Samadi	Klaus Biederstett

7. Bitte zuordnen:

Der Pfarrer	ist der Chef der Bande
Ein Junge	sind noch halbe Kinder
Thorsten Brade	wirft Erde ins Grab
Die anderen Jugendlichen	ist nicht so gekleidet wie die anderen

8. Wie verhält sich der Arzt im Gespräch mit Helmut Müller:

am Anfang	während	am Schluss

9. und 10. Bitte beantworten Sie die Fragen:

Was sucht Müller im Wald vor dem Heim?

Was wollte Jürgen Uhde im Wald?

Womit hat Brade die Gruppenmitglieder erpresst?

Warum ist Ahmad nicht zur Polizei gegangen?

Asylbewerberheim in Niedersachsen in Brand gesteckt

Zwei Babys bei Anschlag

Peine (AP/dpa). Bei einem Brandanschlag auf ein Asylbewerberheim im niedersächsischen Adenstedt sind zwei Babys verletzt worden.

Unbekannte Täter hatten am Mittwoch gegen 23 Uhr einen Brandsatz durch ein geschlossenes Fenster des Heims im Landkreis Peine geworfen. Zwei libanesische Kinder im Alter von zwei Wochen und acht Monaten erlit[...]vergiftungen und [...] hau[...] sch[...] W[...] au[...]

Da[...] rium[...] genk[...] Juger[...] Extre[...] feind[...] Akti[...]

Manifest gegen Asyl-Änderung

50 Künstler und Publizisten haben vor einer Änderung des Asylrechts gewarnt. I[...] einem „Hamburger Man[...] fest" erinnern Schriftsteller [...]

Nachrichten

Haft für Chaoten

Rostock (dpa). Ein Jahr ins Gefängnis muß ein 19-jähriger Rostocker. Er hatte an den Rostocker August-Ausschreitungen gegen ein Asylantenheim teilgenommen.

Weizsäcker: Angriffe auf Ausländer beschämend

Berlin (Reuter). Bundespräsident Richard von Weizsäcker hat die wachsende Gewalt gegen Ausländer in Deutschland als „erschreckend und b[...]

Nicht gegen Ausländer – aber oft gleichgültig

Sämtliche bisher in dieser Reihe erschienenen Bände:

Stufe I

Oh, Maria...	32 Seiten	Bestell-Nr.	**49681**
– mit Mini-CD	32 Seiten	Bestell-Nr.	**49714**
Ein Mann zu viel	32 Seiten	Bestell-Nr.	**49682**
– mit Mini-CD	32 Seiten	Bestell-Nr.	**49716**
Adel und edle Steine	32 Seiten	Bestell-Nr.	**49685**
Oktoberfest	32 Seiten	Bestell-Nr.	**49691**
– mit Mini-CD	32 Seiten	Bestell-Nr.	**49713**
Hamburg – hin und zurück	40 Seiten	Bestell-Nr.	**49693**
Elvis in Köln	40 Seiten	Bestell-Nr.	**49699**
– mit Mini-CD	40 Seiten	Bestell-Nr.	**49717**
Donauwalzer	48 Seiten	Bestell-Nr.	**49700**
Berliner Pokalfieber	40 Seiten	Bestell-Nr.	**49705**
– mit Mini-CD	40 Seiten	Bestell-Nr.	**49715**
Der Märchenkönig	40 Seiten	Bestell-Nr.	**49706**
– mit Mini-CD	40 Seiten	Bestell-Nr.	**49710**

Stufe 2

Tödlicher Schnee	48 Seiten	Bestell-Nr.	**49680**
Das Gold der alten Dame	40 Seiten	Bestell-Nr.	**49683**
– mit Mini-CD	40 Seiten	Bestell-Nr.	**49718**
Ferien bei Freunden	48 Seiten	Bestell-Nr.	**49686**
Einer singt falsch	48 Seiten	Bestell-Nr.	**49687**
Bild ohne Rahmen	40 Seiten	Bestell-Nr.	**49688**
Mord auf dem Golfplatz	40 Seiten	Bestell-Nr.	**49690**
Barbara	40 Seiten	Bestell-Nr.	**49694**
Ebbe und Flut	40 Seiten	Bestell-Nr.	**49702**
– mit Mini-CD	40 Seiten	Bestell-Nr.	**49719**
Grenzverkehr am Bodensee	56 Seiten	Bestell-Nr.	**49703**
Tatort Frankfurt	48 Seiten	Bestell-Nr.	**49707**
Heidelberger Herbst	48 Seiten	Bestell-Nr.	**49708**
– mit Mini-CD	48 Seiten	Bestell-Nr.	**49712**

Stufe 3

Der Fall Schlachter	56 Seiten	Bestell-Nr.	**49684**
Haus ohne Hoffnung	40 Seiten	Bestell-Nr.	**49689**
Müller in New York	48 Seiten	Bestell-Nr.	**49692**
Leipziger Allerlei	48 Seiten	Bestell-Nr.	**49704**
Ein Fall auf Rügen	48 Seiten	Bestell-Nr.	**49709**
– mit Mini-CD	48 Seiten	Bestell-Nr.	**49726**